KB082357

나만의 유령

나만의 유령

글. 그림 : 임은솔

to. Becky, Andy, Erin

차례

프롤로그

나는 눈이 보이지 않는다.
어릴 때 교통사고로 눈을 잃고 나의 아빠도 함께 잃었다.
이 세상에 나는 내가 가장 불쌍하다고 생각했다.
하지만 내가 그토록 외우고 살았던
'불쌍'이라는 단어는
나의 오랜 친구에게 더 어울렸다.

1.
"야 이설 너 뭐 했어? 내 반지에!"

라임은 이설 앞으로 다가와 소리를 질렀다.

"응? 내가 너 반지에 뭘 했는데?"

이설은 갑작스러운 라임의 소리침에 깜짝 놀랐다.

"네가 내 반지 훔쳐 갔잖아!"

라임의 말에 이설은 너무 어이가 없었다.

"내가 언제? 증거가 없잖아.!"

그때 라임의 친구 채이가 왔다.

"너 맞잖아. 내가 봤어."

채이와 라임의 말에 더 이상 못 참았던 이설의 친구 유이가 반박했다.

"아니? 이설은 눈도 못 보는 아인데 어떻게 니 반지를 훔쳐 가? 그리고 채이 넌 라임이랑 짜고 치는 거잖아? 이러면 증거가 없어. 증인이 한 명 더 나와야 우리가 믿지 않을까?"

유이는 이설에게 다가와 이설을 보호하듯 손으로 감싸주었다.

"뭐...? 채이가 봤다 하잖아!"

라임은 떠는 목소리로 말하고 이설의 가방을 들고 뒤적거리기 시작했다.

"뭐하는 짓이ㅇ.."

이설이 말하려는 순간 라임이가 소리쳤다.

"여기 있잖아! 이설이 훔친 거 맞잖아!"

라임이는 이설이의 가방에서 자기 반지를 찾았다. 유이는 믿을 수 없다는 눈빛으로 이설이에게 말했다.

"너가 진짜 훔쳤어? 너 그런 애 아니잖아"

이설은 너무 당황해서 그 자리에서 얼었다.

"야 유라임. 너가 한채이한테 반지 가방에다가 넣어놓으라고 시킨 거잖아"

김민준이 더 이상 못 참겠다는 표정을 하고 유라임 앞에 서서 당당히 말했다.

"뭐? 내가 언제 그랬는데...? 이설이 훔친 거라고! 맞지 채이야?"

라임이는 채이를 바라보면서 동시에 채이는 라임의 눈빛을 어떻게든 피하려고 했다.

잠깐 동안 짧은 고요함이 반 전제를 덮었다.

"안타깝지만 채이는 아무 말도 안 하네. 나 이거 선생님께 이를 거니깐 그렇게 알아둬."

유이는 당황해하고 있는 라임 이에게 말하곤 이설을 데리고 반을 나갔다.

"이설아 괜찮아?"

유이는 이설을 쳐다봤지만, 이설은 고개만 수그리고 있었다.

"라임이가 날 너무 싫어하는 것 같아.."

이설은 고개를 올리곤 유이에게 말했다. 유이는 아무 말도 안 하고 계속 이설을 쳐다보고 있었다.

"내가 시각장애인이니깐 그러는 거지?"

"맞아...."

이설은 순간 울분이 터졌다.

유이는 선생님을 불러올까 망설이다가 이설을 데리고 학교 근처 공원에 이설을 앉혀 등을 토닥여 주었다.

"이설아.. 너무 괴로우면 전학 가는 게 나을 것 같은데.."

이설은 유이를 슬며시 쳐다보곤 글썽이는 눈으로 말했다.

"그럼 너는..?"

"나는 이설 같은 친구 사귀어야지.. 히히"

유이는 눈웃음을 지었다.

"유이.. 넌 너무 착해.."

이설은 자리를 일어나 유이에게 인사를 하곤 집으로 향했다.

'확.. 전학 가버려?'

이설은 머릿속에 전학 생각만 가득했다.

"내일 선생님께 사실대로 말해야지.."

이설은 자기도 모르게 벌써 현관문 앞이었다.
(삑삑삑삑-띠리링-)
비밀번호를 누르고 엄마가 있는 방으로 향했다.

"엄마..?"

유이가 조심스럽게 엄마에게 다가갔다.

"응? 아 이설 왔어?"

엄마는 눈웃음을 짓고 이설의 눈을 마주쳤다.

"나 엄마한테 할 이야기가 있어."

    .

    .

    .

-라임이의 일과 전학 얘기 후-

"아. 라임이 가 그랬어 ?.. 전학은 엄마가 알아볼게.. 일단 라임이 엄마랑 통화 좀 할게. 방에 들어가 있어."

이설은 방에 들어가서 침대에 누웠다.

2.
"저기.."

방에서 자기 말고도 또 다른 목소리가 들려와서 깜짝 놀라 소리
쳤다.

"누..누구야..!"

이설은 빨리 자기 방에 있던 테니스를 더듬더듬 꺼내서 위협 자
세를 취했다.

"놀라지 마.. 위에 봐봐..나 좀 도와줄 수 있어? 제발.."

"누구야?"

"일단 믿을 진 모르겠지만 나는 유령이야."

"유령..? 난 그딴 거 믿지 않아.."

"너 눈 안 보이지? 날 도와주면 니 눈을 고쳐줄 수 있는데"

이설은 화들짝 놀랐다. 자신의 눈을 고쳐준다는 말도 안 되는 말을 믿으라니 아무리 유령이라도 이렇게 말도 안 되는 거짓말을 늘어놓는 사람도 있다는 것을 믿지 못했다.

"말도 안 돼.. 약을 만들어 준다는 거야?"

"음.. 그것보단 유령은 회복 능력이 있거든."

"증명해 봐. 진짜인지!"

"정 믿을 수 없다면야. 혹시 너희 가족 중 다친 사람이 있어?"

다친 사람.. 이설은 순간 자신을 위해 희생해 준 아빠가 떠올랐다.

"아빠.."

"아빠..?"

"우리 아빠 되살릴 수 있어?"

"아...돌아가신 사람은 불가능한데.."

'그럴 줄 알았어.....하...'

그때 유령이 말을 이었다.

"근데 너희 아빠가 죽기 직전이 생각을 전해줄 순 있어"

생각..? 아빠는 죽기 직전에 어떤 생각을 했을까..?

"해줘... 제발.. 우리 아빠 무덤으로 가자"

유령은 기쁜 신음을 내곤 대답했다.

"빨리 가자!"

그리곤 이설은 준비하곤 유령과 함께 현관문을 나갔다.

3.
"여기가 너희 아빠 무덤인 거야?"

유령은 무덤을 살펴보곤 무덤 속을 들어갔다 나왔다 반복했다.
이설은 무덤 옆에 자리를 잡아서 무덤을 만지작거렸다. 이설은 너
무 놀랐다. 아무도 오지 않은 무덤의 풀이 정리돼 있었다. 이설은
계속 풀을 만지작만지작 만지작거렸는데 딱딱한 돌이 만져졌다.

계속 만지고 있는데 알고 보니 돌이 아니라 엄마의 결혼반지였다.
그 뜻은 엄마가 이 무덤을 와서 풀을 정리하고 갔었다는 거였다.

"엄마가 왜..."

엄마는 2일 전에 나에게 결혼반지를 가지고 있냐고 말했다. 그렇
다면 엄마는 2일 전에 이 무덤을 방문했던 것이다.

"엄마는 나보다 더 괴로웠겠지?"

이설은 반지를 주머니 깊숙이 넣어놓았다.

"다 됐어! 이리로 와"

유령은 이설을 불렀다.

"심호흡하고 너희 아빠를 생각해."

유령은 이설의 손을 꽉 잡고 눈을 감았다.

이설은 예전에 아빠와의 추억들을 떠올렸다. 스멀스멀 아빠의 냄새가 나기 시작하고 나는 하늘 위로 날아다니는 듯 자유로워 졌다.

"눈을 떠!!"

유령은 이설에게 눈을 뜨라고 재촉했다. 하지만 불가능한 걸 물어 보는 유령이 너무나도 바보 같았다.

"아니 내가 눈을 어떻게 떠. 나 시각장애인인 거 알잖아."

나는 당연한 듯이 말했다.

"여기는 과거야. 눈을 뜰 수 있다고. 봐봐 너무 이뻐 우리 하늘을 날아다니고 있어!"

이설은 말이 안 된다고 하면서도 눈을 찔끔 떴다.

'말도 안 돼...'

이설의 눈이 떠졌으며 유령의 말대로 진짜 하늘을 날아다니는 중이었다.

"이제 너가 사고 난 곳을 생각해 봐. 그래야지. 갈 수 있다고"

이설은 깊게 고민했다. 사고 나기 전에 봤었던 거...음,..

"앗 맞아 사과나무가 있었어!"

이설은 말하는 동시에 차 안으로 순간이동이 되었다.

"아빠?"

이설의 눈에 그리움이 가득한 아빠의 얼굴이 있었다.

유령은 이설에게 사고 나기 1분 전으로 왔다고 했다.

나는 아빠 얼굴을 뚜렷하게 쳐다보았다. 내가 무척이나 사랑하고 그리워했던 아빠였다.

"아빠... 왜 떠났어?.."

그 순간 하얀색 녹슨 트럭이 우리가 탄 차를 향해 돌진해 오고 있었다.

"안돼!"

아빠는 나를 감싸고 우리 차를 들이박았다.

한순간이었다. 내가 눈을 깜빡이는데 아빠의 목소리가 울려왔다.

'이설아 미안하고 사랑한다.'

다시 한번 나의 뜨거운 눈물이 볼을 타고 내려앉았다. 오늘이 내가 태어나서 제일 많이 운 날인 듯하다.

아빠는 피를 흘리고 있었고 어린 나는 아빠의 품에서 엉엉 울고 있었다. 나는 아빠가 너무나도 원망스러웠다.

'어떻게 나를 감싸준 걸까? 아빠가 몸만 피했으면 아빠는 죽지 않는 건데 왜? 도대체 왜 나를 감싸준 걸까?'

"차라리 내가 죽었어야 했어."

유령은 놀란 듯 나를 쳐다보곤 말했다.

"그런 생각 하지 마."

유령은 이설을 쳐다보며 이설의 어깨 위에 손을 올렸지만, 이설은 유령의 손을 떨쳐냈다. 이설은 유령에게 그만 가자고 했다. 유령은 잡고 있던 이설의 손을 놓아 이설과 유령은 원래대로 돌아왔다.

이설은 힘이 너무 없었다. 아마도 엄청나게 울고 많은 일이 있었으니 그랬을 거라고 생각했지만, 알고 보니 원래 이렇게 과거로 갔다 오면 힘이 많이 빠진다고 유령이 말해줬다.

"안 피곤해? 나 엄청 피곤한데"

이설도 유령에게 매우 피곤하다고 말했다.

"집에 가서 밥 먹고 씻어서 자야 할 것 같아. 벌써 7시야"

이설은 4시에 출발해서 7시에 집으로 향하는 게 말이 안 된다고 생각했다.

"원래 과거로 돌아가면 이렇게 시간이 많이 가는 거야?"

이설은 궁금한 듯 유령에게 물었지만, 유령 또한 이유를 몰랐다.

이설과 유령 사이 알 수 없는 정적이 10분 동안 지속되었다. 유령은 너무 어색하다고 생각했는지 이설에게 자기소개를 하자고 했고, 이설도 그 제안을 수락했다.

"나부터 시작할게."

유령은 대답했다.

"내 이름은 이주혁이고 내가 죽은 이유는 단순한 차 사고야. 근데 알고 보니 일부러 누가 계획해서 나를 죽인 거였더라고."

"뭐라고? 일부러 죽여...?"

"응. 너가 내 한을 풀어주는 방법은 나를 죽인 그놈을 찾아서 감옥에 보내는 거야. 많이 어렵나..?"

이설은 자신에게 딱 맞는 일이라고 생각했다. 이설은 사건 해결을 좋아하는 아이면서도 여러 가지 학교 사건들도 해결했던 적이 있었던 똑똑한 아이였다.

"내가 앞은 못 보지만 너가 내 옆에서 도와준다면 해볼 만해"

유령은 너무 기쁜 나머지 지하철에서 펄쩍펄쩍 뛰었다.

"근데 범인을 어떻게 찾느냐가 중요해. 뭐 범인에 대해서 아는 특징이나 어디 사는지 알고 있어? 혹은 그 지역이나..?"

유령은 갈색 짧은 머리에 살고 있는 주택 지붕이 빨간색인 것만 알고 있었다.

"우리 엄마가 사실 경찰이야. 우리 엄마 노트북 몰래 빌려서 사건부터 읽어보자."
이설은 자신의 시력을 얻기 위해 무엇이든 할 수 있는 마음이었으며 절대로 포기하지 않을 자신이 넘쳐났다. 어느새 벌써 유령과 함께 집에 도착했다.

이설은 너무 지쳤던 나머지. 밥을 깨작깨작 먹고 금세 잠들었다. 이설은 자신이 이 사건을 해결할 수 있는지 약간 걱정되었지만, 그런 생각들은 떨쳐내며 잠자리에 들었다.

4.
이설은 늦게 잔 덕에 일찍 일어나서 점자 시계를 확인했다.

'6시...'

주말이기 때문이기도 하고 무척 어제 아주 바빴기 때문에 이설의 엄마는 여전히 잘 자고 있었다. 이설은 두둥실 떠오르며 자고 있는 유령을 깨워 몰래 작업실로 향했다.

"내가 지금 눈이 안 보이는데 잠깐 보이게 해줄 수 있어?"

이설은 자신이 눈이 안 보이면 사건을 해결할 수가 없다고 유령에게 말했다. 혹시나 '너무 어려운 부탁은 아닐까?' 생각했지만 유령은 생각보다 어렵지 않고 최소 50분 이내에만 끝내면 된다고 말했다.

"그럼, 눈을 감고 있어봐"

유령은 이설에게 말했다.

"됐어! 이제 눈 떠."

이설은 꼭 감고 있던 눈을 떴다. 그리운 색깔과 세상이 보이는 것에 대해 너무나도 반가웠다.
하지만 이설은 최대한 빨리 범인을 찾아야 하기 때문에 빨리 검색창을 열었다.

"어디서 사고 났었어?"

사고 난 지역을 먼저 알아야 했기 때문에 유령에게 물어보았다.

"내 부모님 댁에 가던 길이었으니깐 아마도 대전일 거야"

이설은 검색창에서 '대전 차 사고'를 검색했다. 여러 가지 사고들이 나왔다.

"몇 년도?"

"아마도 2020년일 거야"

이설은 약간 멈칫했다. 대전에서 2020년도에 가장 차 사고가 자주 일어났기 때문이다. 하지만 사고 제목 및 차의 사진이 나와 있기 때문에 유령이 자신의 차를 봐서 선택하면 되는 일이었다.

"이거 시간이 좀 걸리겠는걸?"

2020년도의 차 사고가 너무 많아서 다 보긴 어려웠다. 그래서 유령은 아침 일찍 내가 컴퓨터만 켜주면 알아서 찾아보고 다 찾으면 알려준다고 약속했다.

'지금 7시 50분. 곧 학교 갈 시간이네 오늘이 마지막으로 가는 학교다.'

엄마는 그 일 때문에 특수학교로 전학을 가자고 했고 이설은 라임이를 더 이상 보기 싫었기 때문에 바로 수락했다. 물론 유이를 더 이상 학교에서 못 보겠지만, 주말에 만나서 수다를 떨 수 있었기 때문에 슬픈 마음을 억누르고 학교 갈 준비를 했다.

"엄마 학교 갔다 올게요!"

이설은 신발을 신고 엘리베이터를 탔다.

(10층입니다.)

"어..안녕?"

김민준의 목소리였다. 이설은 순간 당황했지만 침착하게 인사했다.

"안녕..!"

김민준이 타고 10초 동안 침묵했었지만, 이설이 너무 어색하다 싶어 먼저 말했다.

"그때 너가 나서줘서 고마웠어."

학교에서 단둘이 이야기하려고 했지만, 너무 어색해서 말했다.

"아냐. 라임 저 나쁜 놈이 자꾸 널 괴롭히니깐 그렇지!"

이설은 약간 감동했다. 이때 동안 라임이가 자기에게 화를 낼 때마다 나서는 사람은 유이 말고 없었다. 하지만 처음으로 나서준 두 번째 사람이 김민준이었다.

(두근)
갑자기 심장이 빨리 뛰었다.

"너 이사 간다고 들었어."

김민준이 유이에게 들었다고도 말했다.

"라임이가 너무 날 괴롭히는 것 같아서. 전학을 안 가면 계속해서 괴롭힐 것 같아."

"그래.. 가서도 잘 지내라는 거지."

'설마 내가 가서 슬픈 건가..?'

엘리베이터 문이 열렸다. 김민준은 얼굴이 약간 빨개진 채로 빨리 엘리베이터를 뛰쳐나갔다.

"뭐지?"

이설의 가슴은 빨리 뛰었지만 금세 차분해졌다. 이설도 김민준을 따라 빨리 걷더니 학교에 10분 만에 도착했다. 이설이 문을 여는 순간 갑자기 교실이 조용해졌다. 아마도 그때 일 때문에 그런 것 같았다. 이설은 자리를 찾고 앉았다. 책을 펴고 읽고 있었는데 자꾸 따가운 시선이 나를 관통하는 듯한 느낌이 들었다.

그러자 누가 나한테 쪽지를 줬다. 점자로 되어있는 쪽지였다. 이 반에서 점자를 아는 학생은 단 두 명. 이설과 유이였다.

'유이구나?'

더듬거리며 점자를 읽어보았는데 너무 놀라서 의자가 뒤로 넘어질 뻔했다. 점자 위쪽에 -채이가 이설에게-라고 적혀 있었다.

'설마 채이가 이거 보여 주려고 점자 공부한 건가?'

계속 읽어보니 대충 나한테 엄청나게 미안해하고 있다는 내용이었다. 솔직히 말하자면 채이가 매우 불쌍했다. 채이에게 심부름만 시키며 이거 해라 저거 해라 협박했기 때문이다. 이설은 종이를 꺼내고 종이를 뚫어서 답장했다.

(괜찮아. 어차피 너도 라임 이한테 협박받고 그런 거잖아. 용서해줄게 근데 앞으로 라임이 말은 듣지 말아줘. 알잖아. 라임이는 친구 깎아내리려고 수단과 방법을 가리지 않으니깐.)

나는 점자 편지를 들고 더듬더듬 자리에서 일어나서 물을 먹으려는 척 채이의 책상 위에 놔뒀다. 미리 애들 자리를 다 외우기 잘했다고 생각했다. 물을 따라 마신 후 다시 자리로 돌아가려고 몸을 돌린 순간.

(콰당탕)
채이가 있는 자리 쪽에서 큰 소음이 일어났다.

"채이야!"

선생님은 채이의 자리로 달려가서 채이를 일으켜 주었다.

"이라임 너 오늘 왜 그래? 너 당장 사과해."

라임이는 선생님 말씀을 무시하곤 채이를 향해 혀를 내밀었다. 채이는 고개를 숙이고 있었고 선생님은 라임이의 행동에 너무 놀라서 2초 동안 정지되었다.

"참나. 이라임 불쌍하네."

목소리는 유이의 목소리였다. 유이는 라임이 앞으로 와서 다시 말하기 시작했다.

"너 이설이도 괴롭히고 딴 애들도 괴롭히더니. 하 참나, 이젠 채이야? 네가 제일 소중해하던 친구를 괴롭히는 거야? 너 완전 악마 그 자체야. 왜 그렇게 사람을 괴롭히고 사는 거니? 너 뭐 돼? 하긴, 너 같은 놈들은 사람 눈물 먹고 살아야 하니깐."

이라임은 일어나서 유이의 목을 콱 잡았다.

"이라임!! 너 당장 놔."

선생님께서 라임이의 손을 잡았다. 라임이는 저항하려고 부들거렸다.

"내가 너희 셋 다 죽여버릴 거야. 죽여버릴 거라고!"

"이라임!! 너 당장 나 따라와."

선생님은 라임이를 끌고 밖으로 나가셨다. 유이는 기침을 하고 주저앉았다. 나는 유이를 향해 달려갔다.

"유이야! 괜찮아? 유이야!"

이설은 유이에게 계속해서 소리쳤지만, 유이는 반응이 없었다.

"유이 보건실로 데려다줄게. 같이 가자."

민준이의 목소리였다.

"나도.."

채이도 일어나서 유이를 부축했다. 이설이는 재빨리 교실 문을 나가서 엘리베이터를 눌렀다. 그 뒤로 민준과 채이가 유이를 부축한 채로 따라갔다.

(엘리베이터가 도착했습니다.)

우리 셋은 엘리베이터를 타서 1층으로 도착했다.

"민준아, 먼저 보건실 가 있어. 나 채이랑 이야기 좀 하고 갈게."

나는 민준이에게 말했다. 민준이는 알았다고 했고 먼저 밖으로 나갔다. 이설과 채이는 학교 안 소파에 앉았다.

"왜 라임이가 널 향해 그런 짓을 한 거야?"

채이는 얼버무리다가 진정하고 이야기를 시작했다.

"사실 라임이는 처음부터 그런 나쁜 아이가 아니었어. 라임이는 엄청 착하고 친화력이 좋아서 다른 애들과 두루두루 친하게 잘 지내는 활발한 아이였거든. 나는 그런 애들이랑 친하게 지내기엔 너무나도 소심했어. 근데 라임이는 내 존재를 알고 나에게 다가왔지. 그래서 우리는 세상에서 제일 친한 둘도 없는 사이가 되었어. 근데 어느 날 라임이의 엄마가 차 사고로 돌아가셨고, 그 뒤로 라임이 성격이 삐뚤어지기 시작했어. 갑자기 노는 애들이랑 지내고 나랑은 점차 멀어졌어. 그런데 6학년이 되어서 나랑 같은 반이 되었어. 그리고 우리는 다시 친해졌지. 하지만 전이랑 같았던 사이가 아니라 약간 공주랑 시녀 느낌이었어. 그래도 솔직히 날 괴롭히지도 않고 부려 먹지는 않았는데 갑자기 엄청 부려 먹기 시작했어."

채이는 말을 멈췄다.

"계속 말해줘. 난 괜찮아."

"라임이가 1개월 전쯤에 나랑 점자를 배웠거든."

"뭐 하려고 배운 건데?"

이설이는 설마 했지만, 자신의 예상이 맞았다. 라임이는 이설을 수업 시간에 점자 편지로 계속 괴롭히고 싶었던 것이다.

이설은 라임이가 더 싫어졌다. '점자 배울 시간에 차라리 공부하지.' 이설이는 그렇게 괴롭히겠다고 점자를 배운 라임이가 우스우면서도 대단했다.

"그래서, 널 건들인 이유가 뭐야?"

채이는 주변을 살피더니 이설에게 귓속말로 말했다.

"너가 보낸 점자 편지. 그거 내 책상 말고 라임이 책상에다가 올려두고 갔어. 그래서 내가 한참 귓속말로 널 불렀는데 물 마시러 가더라고."

이설은 놀랐다. 분명히 자리를 다 외운 줄 알았는데 아니었던 것이다. 이설은 채이에게 너무 미안했다.

"그러면 라임이가 너랑 내 편지 봤겠네. 그것 때문에 화난 거잖아. 그렇지?"

채이는 고개를 까딱였다.

"채이야 미안해. 너 이제 어떻게 학교가? 라임이가 너 괴롭힐 것 같은데.."

채이는 고개를 숙였다.

"우리랑 같이 놀면 되지!"

어디선가 낯선 목소리가 들렸다. 유이었다. 유이 뒤로 민준이가 뛰어왔다.

"아니 왜 뛰어 간 거야 몸도 아픈 애가"

"몸 아프다니? 나 멀쩡함!"

민준이는 어이가 없는 표정으로 말했다.

"야 너 내가 업고 가는데 너 막 뒤에서 아프다고 난리 났었잖아, 너 그거 꾀병인 거냐?"

"넌 그까짓 것도 눈치 못 챘어? 와 진짜 눈치 없네. 멱살 잡혔는데 잠깐 기절한 것뿐이지 어디가 아프겠냐?"

유이의 말이 끝나고 채이는 조금씩 웃기 시작했다. 그러자 모두가 한꺼번에 웃었다.
그 네 명이 다시 교실로 들어가 보니 선생님만 계셨다.

"어머나 유이야 괜찮아?"

선생님은 우리를 눈치챘는지 바로 달려와서 유이를 살폈다.

"쌤 제가 얼마나 강한데요!"

옆에서 민준이 피식 웃었다. 나도 민준을 따라 웃었다. 선생님은 약간 어리둥절했지만, 말을 이으셨다.

"애들은 체육 갔고 라임이는 교장실에서 상담 중이야. 유이 너랑 채이는 피해자니깐 둘이 같이 교장실 가. 이설이랑 민준이는 체육 갔다 와. 오늘은 이설이 도우미 없으니깐 민준이 너가 이설이 도와줘라 알았지?"

민준이가 알았다고 했다. 채이와 유이는 장난을 치면서 사라졌고 민준은 이설이를 부축해서 엘리베이터를 탔다. 엘리베이터가 도착했을 때 민준과 이설은 들어갔고 민준은 층을 눌렀다.

이설은 민준의 심장 소리가 빠르고 크게 느껴졌다.

"이제..부축 안 해도.. 되는데.."

민준은 얼굴이 빨개진 채 바로 이설을 놓았다. 엘리베이터가 도착했을 때 이설은 빨리 뛰어갔다. 그 뒤로 민준이 빠르게 따라왔다.

5.

체육관에 도착했을 때 대부분 애들이 쳐다보았다. 그것도 이설이 느껴질 만큼 뾰족한 눈빛이었다. 이설은 자리에 와서 앉았다. 체육은 몸으로 하는 놀이이기 때문에 이설은 참여하지 못했다. 유일한 말동무였던 유이가 교무실로 갔기 때문에 심심해서 구석에 누워있었다.

"뭐해?"

처음 듣는 목소리였다.

'누구지?'

발소리는 점점 다가왔다. 움직이고 싶었지만 무서워서 움직이지도 못했다.

"눈이 안 보이는구나? 안타까워라."

이설은 짜증이 났다.

"누구세요.? 멀쩡한 사람 안타깝게 만들지 말아주세요"

"미안해 말이 좀 심했네. 근데 누구라니 난 인기 많은 아이라구"

이설은 좀 놀랐다. 이설의 눈은 많이 멀었지만, 귀가 많이 발달되어 있다는 건 모두 잘 알았다. 하지만 이런 특유의 목소리는 처음이었다. 이설은 아마도 진짜 활발한 아이일 것 같다고 생각했다.

"혹시 이름이..?"

"내 이름은 김시연이야."

많이 들어본 이름이었다.

"여기는 왜 온 거야"

시연은 말할까 말까, 하다가 말하자고 생각했다.

"너 보러왔어."

"특수학교도 아닌데 평범한 학교에 다니고 있다는 시각장애인이 신기한 거야?"

시연이는 고개를 절레절레 흔들며 아니라고 말했다.

"체육관 지나갈 때 봤거든. 한번 말해보고 싶었는데 다른 여자애랑 같이 말하고 있더라고. 그래서 다가가질 못했어."

이설과 매번 이야기한 여자애는 분명히 유이였다. 다시 말해 유이가 이설의 말동무였기 때문이다.

"그럼 그냥 나한테 인사하러 온 거야?"

"응"

좀 이상했다. 굳이? 왜? 이해가 약간 안 갔지만 최대한 이해해 보려고 노력해 봤다.

"그럼 난 갈게!"

발소리가 멀어졌다.
이상한 아이구나.

이설은 다시 누워서 고민했다. 아 맞다, 유령은 지금 뭐 하고 있을까? 범인 찾고 감옥에 넣어버리면 끝이다. 말로는 쉬울 것 같지만 뭔가 마음에 걸렸다.

3부.
범인

6.

"이설아! 나 찾았어!"

이설은 집에 들어오자마자 유령의 반가운 소리를 들었다.

빨리 작업실로 뛰어가서 사건을 보았다.

"뭐야..?"

이설은 사진을 보자마자 깜짝 놀랐다.

"여긴.. 우리 아빠 돌아가신 곳.."

유령도 처음에 너무 놀랐다고 했다. 어쩌면 아빠의 사건을 이용해
범인을 잡을 수도 있을 것 같았다.

사건:2020.9.12.

피해자는 경찰과 구급차가 오기도 전에 숨이 졌다.

번호:01092345346

전화해 보면 자꾸 전원이 꺼져있음.

2020.10.29.사건 종료

한 달 조금 넘어서 사건 종료라니. 말이 안 됐다.

"내가 전화해 볼까...? 지금은 전원 켜져 있을 수도 있잖아."

"한번 해봐"

이설은 핸드폰을 꺼내서 전화번호를 눌렀다.

-뚜루루루루-

"여보세요?"

목소리는 30대 중반이었고 남자였다.

"저 혹시 이 핸드폰 주인이세요?"

"네. 왜 전화하셨어요?"

"혹시 신고자인가요?"

이설은 신고자라고만 해도 잘 알 것 같아서 말했다.

"신고자라뇨, 그게 뭐죠?"

"음 혹시 이 핸드폰을 다른 사람이 넘겼나요?"

"아. 네. 싸게 팔아서 의심하고 봤더니 새것이더라고요"

"이 전 핸드폰 주소 좀 보내주세요."

남자는 잠시 고민하더니 말했다.

"이 핸드폰 주인이 혹시 잘못한 게 있나요?"

이설은 유령에게 신호를 보냈다. 유령은 신호를 받았는지 고개를 돌렸다.

"아뇨? 이 전 핸드폰 주인이 제 친척이었는데 갑자기 연락이 끊겨서요."

갑자기 남자는 이 알겠다고 하고 집 주소를 보냈다.

"이 사람 근처에 사는데?"

유령은 이설에게 시간이 되는지 물어보았다. 이설은 딱히 일 정도 없어서 괜찮다고 했다.

"그럼, 지금 가자"

약간 당황했지만, 범인을 빨리 찾고 싶은 유령의 마음이 이해가 갔다. 이설은 준비를 다 하고 유령과 같이 현관문을 나섰다.

"어? 이설아 여기 편지 있는데?"

이설은 뒤를 돌아보니 진짜로 편지가 있었다.

이설아 진짜 미안해.
from. 라임

"진짜로 이라임은 내가 이딴 짧은 글로 화가 풀릴 것 같다고 생각하는 건가?"

"이라임이 누구야?"

유령은 궁금한 듯 물어보았다.

"이라임은 나를 전학 가게 만든 사람이야. 하지만 점점 일이 잘 풀리고 있기 때문에 안 갈 수도 있어."

유령은 내가 전학 갈 수도 있다는 사실을 알았다고 했다.

"네가 어떻게 알아?"

"방에서 너희 엄마가 누구랑 전화하면서 전학 갈 수도 있다고 말했거든."

엄마는 정말 계획적이다. 이설의 생일날에 이설의 엄마는 준비물을 다 사놓고 이설이 학교 간 사이에 다 준비해 두었다. 이설은 그때 엄마에게 감동받았다. 이설은 엄마와 같이 케이크를 먹는 동시에 이설은 어떻게 이렇게 손놀림도 빠르고 계획적이냐고 물어본 적이 있다. 엄마는 그냥 경찰이 되는 순간 사건 조사도 하고 추리도 해서 계획적인 사람이 되었다고 했다.

"우리 엄마는 참 계획적인 사람인 듯 해."

유령은 고개를 까딱이며 흥미로운 표정을 지었다. 그렇게 유령과 라임에 대한 이야기를 하면서 벌써 도착했다.

"라임이가 널 싫어하는 이유가 뭐야"

"딱 보이잖아. 내가 시각장애인이라서 그런 거지."

"너는 장애인이 아니야. 그냥 남들보다 더 특별한 거지. 라임이가 너를 질투해서 괴롭히는 거야. 너무 힘들어하지 마."

"고마워. 이런 말은 유이 빼고 처음이네."

유령은 윙크를 했다.

7.

"여기네. 두드려 봐."

"알았어."

나는 문이 어디 있는지 몰라서 손을 뻗었다. 문은 나무 재질로 만들어진 것 같았고 오래전에 지었는지 많이 거칠거칠했다.

"여기 사람 사는 곳 맞지?"

"뭐.. 집이니깐."

나는 용기 내어서 문을 두드렸다.

"누구세요?"

중저음의 남자 목소리가 들렸다. 그리고 문 열리는 소리가 들렸다. 그 남자 뒤로 다른 여자의 목소리가 들렸다.

"누구야?"

이 목소리는 분명히 **라임**이의 목소리였다.

설마 라임이가 여길 사는 걸까? 라임이는 분명 자기 집은 수영장도 있고 마당도 있는 주택에서 산다고 했다. 하지만 여기는 녹슨 아파트이다. 그럼 이라임이 거짓말을 했다는 말인 건가?

"뭐야..너는.. 이설?"

"친구니?"

유령이 고개를 까딱이라고 해서 고개를 까딱였다.

"라임이 친구구나..! 어서 들어오렴"

"아빠..!"

아빠라니, 이라임은 자기 아빠는 유명 회사에 다니는 사장이라고 해서 매일매일 늦게 오기 때문에 외롭다고도 했었다.

나는 라임이 소리가 나는 방향으로 고개를 틀었다.

"라임아, 잠깐 얘기하고 싶어서 여기 왔어."

일단 아무 말이나 집어 던졌다.

"그래. 너네 둘이 이야기 좀 해 아빠는 마실 것 좀 가지고 올게."

"어..? 어... 알았어."

라임이는 먼저 방으로 들어갔다. 그리고 나는 라임이의 아버지께 화장실 좀 써도 되냐고 물어보고 화장실로 들어갔다.

"도대체 무슨 생각이야?"

"라임이 집이네. 최대한 시간 벌어줘 나는 라임이 아빠랑 이야기 좀 할게. 밖에서 소리가 나도 최대한 아무도 그 방에 나가지 않도록 해줘."

"무슨 짓을 하려고?"

"나는 사람 형태로 변해서 아버지랑 이야기 할 거야."

이설이는 약간 어이없다는 표정을 지었지만, 유령 하고 싶은 대로 다 하라고 말하고 라임이네 방으로 들어갔다.

"저기.. 안녕."

"너 왜 온 거야?"

라임이의 목소리는 되게 화가 난 목소리였다. 약간 움찔거렸지만, 다시 용기를 내고 말했다.

"너는 나를 어떻게 생각하니?"

"어떻게 생각하냐니 그냥 그렇지."

이설은 약간 멈칫했다. 그냥 그렇다니.

'그럼, 이때까지 괴롭힌 이유는 뭘까?'

이설은 생각이 많아졌다.

"나는 너를 안 좋게 생각해. 너도 왜인지는 알 거 아니야."

"....미안해. 나는 너가 장애인이라서 그랬어."

이설은 장애인이라는 말에 약간 화났다.

"나는 남들과 약간 다를 뿐이야. 그것 가지고 나를 장애인이라고
하지 말아줘. 나도 장애인인 건 아는데. 장애인도 욕인 거 알 거 아
니야. 너도 니가 장애인이라는 소리 들으면. 기분 좋아? 아니잖아."

라임은 가만히 있었다.

"에이; 왜 이렇게 진지하게 받아. 진지충이냐?"

라임이은 킥킥 웃었지만, 이설은 장난으로 받아들이지 못했다. 사
람 기분이 나쁜데도 계속해서 장난치는 게 이해가 안 갔다.

'나는 이래서 라임이을 싫어한 걸까?'

"너무 진지하게 받았나? 근데 장애인이라고 한 건 니 탓 맞긴 해."

라임은 알겠다고 했다.

"아빠 언제 오지..? 주스 가져다주는 게 그렇게 오래 걸리나?"

아마도 지금 유령과 이야기하는 중이어서 늦는 것 같았다. 최대한
시간을 벌려고 노력했다.

"나 주스 필요 없어. 괜찮아."

"아. 내가 먹고 싶거든. 내가 따르고 올게."

라임은 밖으로 나가려고 몸을 일으켰지만. 이설이 라인의 옷자락을 잡았다.

"안돼!"

라임은 어이없는 표정을 짓고 말했다.

"뭐야..? 너 혹시 나랑 계속 이야기 하고 싶어서 그러는 거야? 어머 말을 하지~ 그래. 나 계속 여기 있을게!"

이설은 1초라도 더 빨리 라임의 곁을 떠나고 싶었다.

"어...어..그래 더 이야기하자"

(쿠웅)

갑자기 거실에서 소리가 났다. 이설이는 라임이를 방치 시켜놓고 거실을 잽싸게 달려 나왔다.

이런, 유령이 물건을 마구마구 던지고 있었다.

"그만해! 뭐 하는 짓이야!"

나는 유령의 손을 잡아서 빨리 집을 나가려고 했지만, 유령의 힘은 너무 세서 유령을 집 밖으로 데리고 나가긴 글렀다고 생각했다.

"죄송해요...죄송해요.."

이건 그 아저씨의 소리였다.

일으켜 세워주려고 소리가 나는 데로 나는 걸어갔다. 나는 아저씨의 손을 잡고 괜찮냐고 했지만 하지만 아저씨는 계속 '죄송해요'라는 말만 되풀이했다.

그래서 나는 일단 아저씨를 진정시키고 유령을 끌고 나갔다.
나는 유령에게 도대체 왜 그랬냐고 했지만, 유령은 아무 말도 안하고 고개만 숙였다.

일단 나는 유령에게 집에 가자고 했다. 그리고 천천히 유령은 고개를 끄덕였고 이설과 유령은 집으로 향해 걸어갔다.

4부.

흔적.

8.

나는 유령과 집에 도착해서 식탁에 앉았다. 나는 유령에게 왜 그랬는지 수십 번 물어보았다. 마지막으로 물어봤을 때 드디어 유령은 대답했다.

"너가 물건들을 던진 이유가 뭐야?"

유령은 잠깐 생각하다가 입을 열었다.

"그 남자가 사실 범인과 한패였어."

"근데 왜 경찰에 신고한 거야?"

"신고한 게 아니래. 녹음본도 다 만들어 낸 거고 사건 파일도 다 조작해 놓았던 거였어."

유령이 화낼 만했다. 나도 유령이었으면 화냈을 것 같았다.

"그럼 라임이 아빠도 일단 범인이라고 치면 되겠네"

"근데 다른 범인은 아직 못 찾았어. 그 아저씨가 알려주지 않았 거든. 미안한데 나 다시는 거기 안 갈 거야."

이설은 유령이 이해가 갔다. 되게 배신감이 많이 느꼈을 수도 있 겠단 생각이 들었다.

"알았어. 그럼 내가 나중에 혼자 가볼게. 유령 너는 집에서 범 인에 대해서 찾아봐 알겠지?"

유령은 알겠다고 하고 작업실로 들어가서 더 찾아보고 있을 때

-띠링-

갑자기 메시지가 울렸다.

민준이었다.

-뭐해?

나는 민준와 학교 끝나고 번호를 교환 했다는 점을 까먹고 있었다. 아마도 그 이유는 유령이 너무 갑작스럽게 사건을 찾았기 때문이었다. 나는 빠르게 점자로 타자를 쳤다.

-그냥 집에 있어!

그리고 재빠르게 민준에게 답장이 왔다.

-만날래?

너무 갑작스러워서 약간 얼버무렸지만, 지금은 시간이 있어서 알겠다고 답장했다. 나는 빨리 방으로 들어가서 옷을 고르고 이쁜 가방도 골랐다.

"저기. 유령아. 나 친구 만나고 올게!"

"뭐야? 갑자기 하이 텐션 됐네. 뭐 남친이라도 만나러 가냐?"

"남친은 무슨.."

이설의 볼이 갑자기 빨개졌다.

"그렇게 차려입고 나가면 모두 남친 만나는 줄 알겠다."

유령은 웃었다. 나는 유령이 그나마 웃어서 다행이라고 생각했다.

"남친 아니거든? 아무튼 난 갈게!"

이설은 방문을 닫았다.

유령은 방에서 사건을 찾으며 중얼거렸다.

"좋을 때다."

유령은 소파에 누워서 심심해했다.

"나도 여친..."

9.

이설은 근처 놀이터에 도착했다. 그리고 2분 정도 뒤에 민준도 도착했다.

"왜 이렇게 차려입었어. 난 그냥 나왔는데"

"뭐라는거야.. 그냥 평소대로 입고 나왔거든?"

민준과 이설은 5분 정도 이야기하다가 이설은 유이와 채이도 부르자고 했다. 민준도 동의해서 그렇게 채이와 유이도 모였다.

"뭐야~이설이 엄청 꾸몄네!"

유이는 이설을 보자마자 꾸몄다는 말부터 했다.

"너도 만만치 않거든."

민준이 유이를 보며 말했다.

"뭐래 나는 원래 이렇게 관종 처럼 입고 오거든?"

우리 넷은 모두 웃었다.

"우리 어디..갈래..?"

채이가 소곤소곤 말했다. 유이는 노래방을 제안했지만, 민준은 너무 배고프다고 했다.

"하긴 점심 먹을 시간이니까. 그럼, 점심 메뉴부터 정하자!"

유이는 눈을 빤짝이며 말했다. 유이는 마라탕을 먹자고 제안했지만, 민준은 자기는 매운걸 잘 못 먹어서 매운 것 빼곤 다 된다고 했다.

"에이~ 맵찔이냐? 아 맞다. 우리 자주 가는 마라탕집에 볶음밥도 생겼던데? 넌 이설이랑 그거 먹어."

민준은 고개를 갸웃거렸다.

"아 이설이도 매운 거 진짜 못 먹거든. 저번에 억지로 먹다가 죽을 뻔 했어 얘"

유이는 그때만 생각해도 팔다리가 덜덜 떤다고 말했다.

"얘들아 나 배고프다 빨리 가자!"

채이는 용기 내서 말했다. 아까부터 계속 꼬르륵 소리가 났던 걸 보니 꽤 배고팠던 모양이었다.

"헐 미안 빨리 가자"

유이는 애들의 손을 잡고 떠났고 민준도 뒤로 뒤따라왔다. 마라탕 집에 도착해서 마라탕 재료를 골라서 무게를 쟀는데 유이는 13,000원이 나왔고 채이는 20000이 나왔다.

"너 진짜 배고팠나보다 엄청나.."

채이는 자기가 원래 대식가라고 했다. 그렇게 그 넷은 마라탕과 볶음밥을 다 먹어 치우고 나서 우리는 바로 노래방에서 노래를 불렀다. 민준과 채이가 생각보다 노래를 잘불러서 놀랐다. 나도 외운 노래를 여러번 불렀다. 유이는 목감기가 걸려서 노래를 못한다고 했다. 하지만 목감기는 아마도 거짓말이지 않았을까 하고 생각했다.

"뭐야 나 감기 맞거든??"

"그런 것 가지고 노래 안 부르냐? 니가 돈 냈는데?"

민준은 유이가 노래하는 모습을 보고 싶다고 졸랐다. 나도 한 번도 유이가 노래 부르는 모습을 본 적이 없었기 때문에. 나도 졸랐다.

"알았어. 알았어! 떨어져 봐. 한 곡만이다?"

채이와 민준은 의자에 앉아서 탬버린을 들었다. 나는 가만히 구석에 앉아서 귀를 기울였다. 그리고 유이는 노래하기 시작했다. 유이는 채이와 민준보다도 훨씬 더 잘 불렀다. 채이는 입을 떡하니 벌리고 탬버린을 책상 위 두었다. 민준도 뇌 정지가 왔는지 얼음이 돼 있었다. 왠지 이설은 노래가 많이 익숙했다.

갑자기 눈물이 나왔다. 알고 보니 아빠가 어릴 때 자주 불러주던 노래였다. 유이가 이 노래를 어떻게 아는지는 모르겠지만 이설은 애들이 자기가 눈물을 흘린다는 것을 눈치 챌까봐 곧장 눈물을 닦았다. 노래를 다 부른 뒤 민준과 채이는 감탄했다.

"뭐야? 목감기 있는 사람 맞아? 왜 이렇게 잘 불러..?"

유이는 칭찬 고맙다고 했다.

"진짜 유이 엄청 잘부른다... 내 친구들 중에서 너가 제일 잘 불러"

"채이도 엄청 잘부르더라. 나 진짜 귀 상쾌해짐"

유이는 그렇게 말하고 빨리 밖으로 나갔다. 나도 나갔다

"유이야, 고마워"

갑자기 내 입에서 순간적으로 고맙다는 말이 나왔다. 유이는 약간 당황했다.

"뭐야 나 이제 너한테 고맙다는 말까지 듣네. 평소에는 잘 안 하더니. 이 언니 뿌듯하다!"

나는 유이를 향해 웃었다.

"얘들아 나 가야할 듯. 엄마가 오래"

민준이 인사를 하고 빨리 집으로 향했다.

"헐, 시간이 벌써 이렇게 됐네! 우리 셋도 집으로 가자"

채이와 나는 얼굴을 끄덕이곤 집을 향해 흩어졌다.

10.

나는 빨리 집으로 가서 침대에 누웠다. 그때 방문이 살짝 열렸다. 이설은 너무 졸려서 금세 잠들었기 때문에 누가 왔는지 확인 할 수가 없었다.

"뭐야. 자네 그럼 이거 두고 가야겠다."

유령의 목소리였다.

유령은 연필을 잡고 글을 써서 책상 위에 붙였다. 그리고 이설이 깨어날 때까지 기다렸다.

"나 왜 자고 있냐.."

이설은 졸린 눈을 비비곤 부스스 일어났다.

"아 깜짝이야."

이설은 옆에 자고 있는 유령을 보고 깜짝 놀랐다. 이설은 왜 애가 여기 있지 하고 다시 일어나서 씻으러 갈 준비를 하고 있을 때 책상에 붙어 있는 작은 포스트잇이 눈에 들어왔다.

"이게 뭐지..?"

이설이는 그 포스트잇을 읽어보았다.

내가 한가지 생각해 본 게 있는데.
그때 만났던 목격자를 계속
지켜봐서 흔적을 밟는 건 어떨까?

"그냥 스토킹하자는 거 아닌가?"

이설은 곰곰이 생각해 보았다.

'솔직히 난 학원도 안 다니고 다 자유잖아..? 그럼 되지 않을까?'

그때 갑자기 유령이 깼다.

"그거 읽어봤어?"

유령은 자신의 눈으로 포스트잇을 쳐다보았다.

"응 난 시간은 많아. 하지만 안 들킬 자신은 없어. 들킬 수도 있잖아."

"그렇지만 이걸 해야지 범인을 찾을 수 있을 것 같단 말이야.."

이설은 무기력해진 유령을 보곤 말했다.

"안된다곤 하지 않았어"

"유령은 뭐가 그렇게 좋은 건지 입이 귀에 달릴 정도로 웃었다."

"그게 그렇게 좋냐?"

"진짜 이번엔 범인 찾을 수 있을 것 같아"

유령은 자기 할 말만 하고선 방을 나갔다. 이설은 유령이 속으로
도 엄청 좋아하는 모습이 그려져서 피식 웃었다.

나는 방 침대에 다시 누웠다. 눈을 감았지만, 그 전에 푹 잤기
때문에 잠이 도저히 오지 않았다. 나는 휴대폰을 쳐다보았다. 한
개의 메시지가 와 있었다. 이설은 뭐지 하곤 그 메시지를 보러 들
어갔다.

-이설아 뭐해?

이설은 저장이 되어있지 않은 전화번호였다.

-누구세요?

-나 시연이!

이설은 몸에서 약간의 소름이 돋았다.

-뭐야.? 내 번호 어떻게 알았어?

-있던데.

이설은 뭐지? 했다.

-있다고..? 내가 내 번호 너한테 말한 적이 없는데..?

-:)

-장난치지마;

-있었어.

-있었다니 무슨 말 하는 거야..?

-너 혹시 기억 안 나?

-무슨 말 하는 거야. 기억이라니

그 뒤로 문자는 오지 않았다.

"뭐야? 사람 궁금해 미치게 하는 게 특긴가..?"

이설은 다시 침대에 누웠다. 내 번호를 김시연은 어떻게 안걸까? 한참 고민했다.

"잠도 안 오는데 산책이나 하고 올까?"

이설은 잠옷 위에 잠바만 걸치고 밖으로 나왔다.

-띵-
그때 엘리베이터 문이 열렸다.

"뭐야..?"

이건 김민준의 목소리였다.

"어..어? 안녕!"

이설은 김민준을 보자마자 내가 지금 잠옷 위에 잠바만 걸치고 있다는 사실을 깨달았다.

'창피하다 창피하다 창피하다…'

"어..어떻게 여기서 ㅁ..만날까? 아하하"

이설은 너무 어색해서 목소리가 많이 떨렸다.

"아..ㄱ..그러게 하하"

민준도 이설의 옷차림을 보고 금방 어색해졌다.

"분명히 오늘 같이 놀았는데, 왜 이렇게 어색할까..? 아하하"

민준도 고개를 끄덕였다. 이설은 왜 나랑 최대한 눈을 마주치지 않으려는 걸까 생각하다가 눈치를 챘다.

"헐 나 잠옷이었지?"

그때 민준은 피식 웃었다. 이설은 창피해서 얼굴이 새빨개졌다. 그래서 이설도 최대한 눈을 깔고 민준과 눈이 마주치지 않게 조심 조심했다.

"어디가?"

민준이 말했다.

"앗 나 공원 가서 산책 하려구!"

이설은 계속 눈을 안 마주치려고 노력했다.

"괜찮아 잠바 잠그면 잘 안 보여 밤이라"

이설은 빨리 잠바를 잠그고 안심했다. 생각보다 잘 가려줘서 다행이었다.

"봐, 훨씬 낫네"

"그러네!"

이설은 민준이 천재라며 온갖 칭찬을 다 했다.

"나 진짜 네 앞에서 이런 모습 보인 거 처음이다."

이설은 다시 얼굴이 빨개지며 말했다. 원래는 엄마와 산책을 할 때만 이런 차림새로 가는데 이번에는 아니었다.

"같이 산책할래?"

민준이가 용기 내서 말했다.

"너 왜 나온 거야? 심부름 같은 거 아니었나? ..?"

이설이 대답했다. 약간 당황한 듯 더듬거렸다.

"뭐.. 그렇긴 한데 걍 미루면 됨."

"뭐야 왜 미뤄 나도 산책할 건데 그냥 같이 가자, 심부름"

민준이 알겠다고 했다.

"어디 마트로 가?"

"ABC마트 가서 과일 사 와야 해 "

과일이라는 말에 이설은 눈이 반짝였다.

"과일 좋아해?"

민준은 이설의 반짝이는 눈을 눈치채 말했다.

"진짜 좋아해!"

이설은 대답했다. 이설은 과일 중에 귤을 되게 좋아했다. 그중에 겨울 귤보다 맛있는 귤은 없다고 생각했다.

"나 딸기, 멜론, 수박, 포도, 귤 살 건데 귤 2개 줄게, 너 귤 좋아하잖아"

"뭐야? 나 귤 좋아하는 거 어떻게 알았어?"

이설은 아침에 메시지도 그렇고 설마 인터넷에 자신의 개인정보랑 다 퍼져있는 걸 수도 있겠다 싶었다. 등골이 오싹했다.

"유이가 알려줬거든."

이설은 안심했다. 개인정보 유출은 아닌 것 같아서 마음이 놓였다. 하지만 김시연이 자신의 전화번호를 어떻게 안 건지 계속 생각했다.

"무슨 생각해?"

"응..? 아 나 약간 고민이 있는데.."

민준이는 자기는 들을 준비 됐다고 했다.

"김시연 알아?"

"걔 학교에서 유명하잖아"

"응, 근데 걔가 내 전화번호 알고 있더라?.."

민준은 놀랐다. 혹시나 스토킹해서 알아낸 게 아닐지 걱정되었다.

"뭐야 걔?" 소름 돋네. 문자 내용 보여 줄 수 있어?"

이설은 주섬주섬 자신의 주머니에 있던 이설의 휴대폰을 꺼내서 민준에게 보여 주었다.

"얘 뭐냐? 왜 있는지 알려주지도 않아? 뭔 이런 애가 있지?"

이설도 그렇게 생각했다.

"근데 그렇게 신경 쓰지 말자."

민준은 이설이 약간 걱정이 되었지만, 이설의 말을 마음에 담아 두지 않기로 했다.

"도착했다. 너가 딸기, 멜론 사고 내가 귤 살게. 다 샀으면 여기 서 만나자"

이설은 과일 코너로 갔다. 눈앞에 바로 신선한 딸기가 눈에 들어 왔다.

"딸기는 샀고. 멜론이.."

이설은 과일 코너를 돌아봐도 멜론이 없었다.

"멜론이 없네?"

이설은 더 안쪽으로 들어갔다. 그때 동그란 게 있었다.

"멜론이다!"

동그란 멜론이 덩그러니 있었다. 이설이 집으려던 때 옆에 손이 날라와서 멜론을 빨리 집었다.

"뭐야 넌?"

그 누군가가 말했다.

"김..시연.?"

이건 분명히 김시연 목소리였다.

"뭐야 이설이 너였어?"

"니가 왜 여기 있어?"

김시연은 머뭇거리다가 말했다.

"아 심부름 ㅎㅎ"

이설은 불쾌해서 그냥 멜론을 김시연에게 주고 갔다.

"뭐야 왜 가? 혹시 내가 불편한 거야?"

시연은 이설의 손을 잡았다. 이설은 손을 놓으려고 아등바등했다. 그 순간 누군가가 이설을 잡아끌어서 김시연과 이설을 떨어뜨렸다.

"감사합ㄴ.. 어? 김민준?"

"넌 누구야?"

시연은 김민준에게 다가왔다.

"넌 누군데 이설 손을 잡고 있냐?"

시연은 어이없다는 듯이 픽 웃었다.
시연은 민준만 듣게 옆으로 가서 속삭였다.

"이설한테서 떨어져"

그리곤 과일 코너를 빠져나갔다.

"뭐야..?"

민준은 이설을 일으켜 세웠다.

"이설아 괜찮아?"

이설은 옷을 탈탈 털고 일어섰다.

"미친놈 아냐 저거? 진짜 왜 저래?"

민준은 이설의 말에 웃음이 터졌다

"미친놈이랰 앜"

"왜 웃어? 나 지금 진지하거든?"

그러다 이설도 픽- 하곤 웃어버렸다.

11.
이설이 집으로 왔다.

"왜 지금 와 늦었잖아"

유령이 이설에게 말했다.

"일이 있었어. 민준을 만났거든."

이설은 모든 일을 유령에게 설명해 주었다.

"민준이라는 애는 갑자기 나타난 거야?"

이설은 고개를 끄덕였다.

"뭐야? 완전 이상하다, 걔"

이설도 그렇게 생각했다.

"나 솔직히 말해서 시연이 좀 무서워."

유령은 그럴 수 있다고 말했다.

"나였어도 무서웠을 거야. 안 보이는데 갑자기 날 그렇게 끌어들이면 진짜 무서울 듯한데"

이설은 아무 말 없었다.

"아 맞다. 그 스토킹 오늘 할 거야?"

유령은 오늘 한다고 말했다.

"너도 올 거지?"

유령이 말했다.

"당연하지"

그리고 그 둘은 라임이의 아버지가 있는 곳을 찾아갔다.

그 둘은 라임의 아버지가 나올 때까지 잠복해 있었다. 그 채로 2시간이나 지났다.

"언제 나오셔..? 벌써 노을 지고 있는데"

유령은 조금만 더 기다리자고 했다. 10분 뒤 라임이의 집 문 쪽에서 철컹 소리가 들렸다. 그리고 누군가가 나왔다.

"라임이네 아버지!"

유령은 이설에게 속삭였다. 그 둘은 라임이 아버지가 가는 길을 멀리서 슬금슬금 따라갔다.

"어디로 가시는 거지?"

그때 라임이네 아버지가 뒤를 돌아보았다. 유령은 이설을 저 끝으로 밀어 넣었다.

"앗!"

이설은 자신의 압을 틀어 막았다.

"뭐지?"

라임이네 아버지는 그 작은 소음이 무엇인지 의문이 들었지만 그냥 길고양이겠지 하고 다시 갈 길을 갔다.

"휴"

이설은 안도했다. 다시 그 둘은 뒤를 따랐다.

"오랜만이네요."

라임이네 아버지는 누군가에게 말했다.

".....저를 왜 찾으셨죠?"

그 누군가가 말했다. 라임이네 아버지는 약간 고민했지만, 말을 이었다.

"당신이 사고 냈던 그 사람. 그 사람이 왔었어요."

"널 죽음에 이르게 한 저 사람.. 저 사람이 범인이네!"

이설은 유령에게 속삭였다. 유령의 표정은 되게 진지했다.

"이설아 사진 찍고 녹음도 좀 해줘"

이설은 전화기를 켜서 범인의 얼굴과 라임이네 아버지의 얼굴을 카메라에 담고 찍었다. 그리고 휴대폰 녹음기를 켜고 가까이 있는 쓰레기봉투에다가 던졌다.

-폭-

휴대폰이 내려앉았을 때 너무 소리가 컸다.

"들킬 것 같은데..?"

유령은 이설에게 조용히 하라는 몸짓을 했다.

"방금 무슨 소리 들리지 않았나요?"

"아무 소리도 안 들렸어요"

"아무튼 그 사람이 저희 집을 찾아왔다니깐요?"

"그 사람이 살아난 것도 아닌데 어떻게 찾아오나요?"

"당신이.. 당신이 그 사람을 차로 쳤잖아!"

범인은 약간 당황한 얼굴을 했다,

"제가 당신한테 사례금 줬잖아요. 아무한테도 말하지 말라고"

"근데 지금 저도 무서워요! 만약 그 사람이 경찰에 말하거나 제가 말할 수도 있다구요..!"

라임이네 아버지는 입을 막았다.

"당신이 말한다고요? 그건 안되죠"

범인은 라임이네 아버지에게 다가갔다.

"저..저는 이만 가보겠어요. 다음에 다시 말합시다."

범인은 아버지를 잡으려고 했지만, 아버지는 이미 가고 없었다.

"하...."

범인도 따라 집으로 갔다.
이설은 유령을 쳐다보았다. 유령은 눈에 초점이 없었다.

"괜찮아??"

유령은 괜찮지만, 힘이 너무 없다고 했다.

"이제 잡을 수 있게 되었네"

이설은 유령을 향해 미소를 지었다. 속으론 수고 했다고 말하고 싶었지만. 유령의 표정이 좋지 않아 보여서 참고 갈 길을 갔다.

유령이 한 걸음 한 걸음 내디딜 때마다 이설도 한 걸음 한 걸음 맞춰갔다. 이설은 평소에 말 많던 유령이 왜 이리 조용해졌는지 의문이었다.

"범인 찾았잖아. 표정이 너무 썩어있는데..?"

이설은 참지 못하고 말해버렸다. 유령은 이설의 물음에 대답하지 않았다. 순간 이설은 화가 났다. 내가 유령을 도와줬는데 유령은 왜 표정이 썩어있을까. 이설은 자신이 혹시나 잘못한 점이 있나 궁금했다.

"유령, 대답 좀 해."

이설은 유령이 이상했다. 왜 이럴까. 범인을 찾았는데. 이설은 다시 유령의 이름을 불렀다. 그 순간 유령은 빙글돌아 이설의 눈을 빤히 쳐다보았다.

"이설아, 만약의 네 절친이 널 차에 치여 죽었다면 어떡할 거
야?"

이설은 유령의 말을 이해했다.

'아, 이건 유령의 이야기구나.'

이설은 유령에게 다가갔다. 유령은 눈물을 글썽이며 이설의 시선
을 최대한 피하려고 노력했다.

"유령아.."

이설은 유령을 짧고 고요하게 외쳤다. 유령은 대답하지 않았다.
그의 마음엔 슬픔이 가득 차올라 있었다.

"집 가자."

이설이 할 수 있는 말은 그뿐이었다. 더 이상 말하고 싶지도 않
았고 유령의 일에 끼어들고 싶지도 않았다. 이설의 마음은 굉장히
복잡했다.

12.

이설과 유령이 집 공원을 지나쳤을 때이다. 그때. 공원 벤치에
나란히 앉아 비둘기들에게 밥을 주고 있던 시연이 눈에 들어왔다.

"유령아 너 먼저 집 가있어 나 볼일이 있어서.."

유령은 짧게 고개를 끄덕였다. 이설은 마음을 다잡고 시연의 곁
에 갔다.
순간 눈이 안 보이기 시작했다.

'유령의 주술 시간이 다 지났구나. '

유령은 매일 매일 이설에게 원하는 시간대에 한 시간 동안 눈이
보일 수 있도록 하게 해주었다. 그 덕에 이설은 나름 눈에 익숙해
졌고, 누가 누군지, 어떻게 생겼는지를 알 수가 있었다.

하지만 범인을 잡느라 그 능력을 다 써버린 것이다.

멀리서 시연의 낮은 목소리가 들려왔다. 이설은 마트의 그 일 후에 시연이 한 행동의 이유를 알고 싶어서 안달이었다.

'갈까? 말까?'

이설은 한참이나 고민했다.

"어차피 사람도 많으니까 괜찮겠지?"

이설은 시연의 목소리가 들리는 곳으로 발길을 옮겼다. 시연은 다가오는 이설을 눈치챘지만 뒤돌아보진 않았다. 이설은 시연의 앞으로 왔다.

"얘기 좀 해."

"언제든지~"

이설은 시연의 행동에 잠시 화났지만, 호흡하곤 그 마음을 가라앉혔다.

"왜 그랬어?"

이설은 시연의 옆에 앉았다.

"뭐가?"

시연은 아무것도 잊은 듯했지만, 속으론 다 기억하고 있었다.

"마트 때도 그렇고 메시지도 그렇고 체육관에서도 그렇고. "

이설의 말투는 진지했다.

"너 진짜 기억 안 나?"

이설의 말투가 진지하다는 것을 눈치챈 시연은 '장난치면 화내겠
구나'했다. 그는 진실을 말하기로 결심했다.

"기억 안 나. 왜 그런 건지. 솔직히 너무 갑작스럽잖아."

시연은 입을 열었다.

"우리 유치원 때 친구였어."

이설은 점점 기억나기 시작했다.

"어? 너 그 병아리 반!!"

이설이 열심히 기억해 낸 덕에 생각이 났다.

"드디어..드디어 기억했구나"

시연은 안도했다. 한순간 나쁜 사람으로 몰릴 수 있었지만 빠르게 대처한 자신이 뿌듯했다.

"뭐야? 그럼, 이때까지 장난이었어?"

"응"

"난 또 무슨 스토컨 줄 알았잖아"

이설은 실실 웃었다.

"나 말하고 싶은 게 있어"

시연의 귀가 빨개졌다. 이설은 갸웃거리며 무엇인지 말했다.

"나 너 유치원 때부터 좋아했어."

갑작스러운 고백으로 이설은 뇌 정지가 왔다. 하지만 이설은 시연을 친구로만 생각하고 있었지, 이성으로는 생각한 적이 한 번도 없었다.

"미안.. 친구로만 지내자."

시연은 고개를 숙이고는 피식 웃었다.

"뭐 예상하고는 있었어. 근데 이렇게 기분이 나쁠줄은 몰랐네ㅎ"

시연의 표정은 괜찮은 듯했지만. 속으로는 그렇게 기분이 좋지는 않았다. 한편 이설도 시연의 고백을 거절한 것에 대해 언짢아했다. 그들은 20초 정도 침묵을 유지했다.

"너는 걔 좋아하잖아. 그 너랑 같이 다니던 남자애"

이설은 순간 민준이 생각났다. 사실 이설은 민준을 마음에 약간 담아두긴 했다. 그렇기 때문에 매번 민준과 같이 있었을 때 심장이 빨리 뛰었던 것이다. 이설은 시연의 말을 애써 부정하려고 했지만. 이설의 마음은 그렇게 흘러가질 않았다.

"나 먼저 갈게"

이설은 자신에게 고백했던 시연이 갑작스럽게 어색해졌기 때문에 간다고 했다. 시연은 대답하진 않았지만, 잘 가라는 듯의 미소를 지었다.

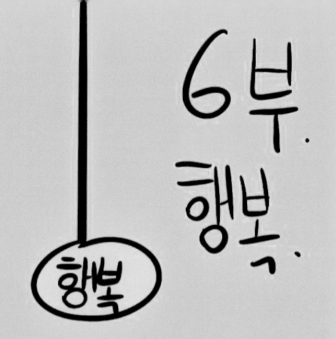

13.

집에 들어온 이설은 자신의 방에 유령의 목소리가 들려왔다. 그녀는 방문을 열고 유령에게 말했다.

"엄마한텐 전화해서 말했어. 아마도 내일 아침쯤에 체포될 거래"

유령은 이설에게 미소를 지었다.

"그동안 정말 고마웠어. 내일이면 너랑 나는 헤어지겠네."

"그래도 그동안 재밌었잖아. 힘든 일도 있었고 좋은 일도 있었잖아. 우린 수많은 경험을 했어. 나는 후회 안 해"

유령은 이설을 안아주었다. 그리곤 눈물을 글썽였다.

"이설아 너는 특별한 아이야. 넌 똑똑하고 착하고 성실하기도 해. 나는 너 같은 아이는 처음 보는 것 같아. 내 제안을 수락하는 것도 결정하기 쉽지 않았을 텐데. 쿨하게 결정하는 니 모습이 보기 좋았어."

이설은 유령을 도와준 자신이 뿌듯했다.

"이설아 이제 자 너무 늦었다."

이설도 너무나도 졸렸다. 이설은 이불을 덮고 유령에게 잘 자라고 전하고 불을 껐다.

다음 날 아침, 뉴스에 유령을 죽인 범인이 경찰들에게 체포되는 모습이 나왔다. 그 범인은 22년 형을 받았으며. 알고 보니 그는 마약도 하고 도박도 하는 사람이라고 밝혀졌다.
라임이의 아빠는 봉사 4년을 받았다.

"이설아 나 너한테 보여 줄 게 있어."

유령은 이설에게 다가와 손을 슬쩍 내밀었다. 이설은 손을 잡았다.

"10초 정도 세봐"

10..9..8..7............1.

이설은 눈을 뜬 순간 어느새 자신이 산 꼭짓점에 있었다.

"여기가 어디지..?"

유령은 절벽쯤에 앉았고 이설도 따라와 옆에 앉았다.

"이제 헤어져야 해."

"잘 가"

"그동안 고마웠어!!"

유령은 점점 불투명해졌고. 하늘 높이 날아갔다.

"뭐지..?"

이설의 눈이 갑자기 떠졌다.
갑자기 유령을 처음 만난 날이 생각났다.

"유령이 약속을 지켜줬구나!"

유령을 처음 만난 날 유령은 자신의 원한을 풀어주면 이설의 눈을 뜨도록 만들어 준다고 했다. 그리고 유령은 방금 그 약속을 지켰다.

이설은 눈앞이 훤했다. 그리고 당장 엄마한테 달려갔다.

"엄마! 나 눈이 보여!"

"뭐라고?"

이설의 엄마는 자신의 귀를 의심했다.

"나..눈이 보여!"

엄마는 이설을 끌어안았다.

"이건 기적이야.."

이설은 엄마의 품에 얼굴을 파묻었다.

"사랑해"

작가의 말

이 책을 만들면서 '과연 이 책이 다른 사람들에게 감동을 줄 수 있을까?'라는 생각만 되풀이했어요.

저는 이 책이 당신에게 재미를 주고 행복을 줄 수 있도록 했으면 좋겠어요. 구멍이 많고 실수가 많았을 제 책을 사주셔서 정말 진심으로 감사드립니다.

이 주인공 이설처럼 아무리 힘들어도 포기하지 말고 나아갑시다!

- 임은솔

나만의 유령

발   행 | 2023년 12월 06일
저   자 | 임은솔
펴낸이 | 한건희
펴낸곳 | 주식회사 부크크
출판사등록 | 2014.07.15.(제2014-16호)
주   소 | 서울특별시 금천구 가산디지털1로 119 SK트윈타워 A동 305호
전   화 | 1670-8316
이메일 | info@bookk.co.kr

ISBN | 979-11-410-5752-7

www.bookk.co.kr